JN253255

ざしき童子(ぼっこ)のはなし

宮沢賢治・作
岡田千晶・絵

ぼくらの方の、ざしき童子のはなしです。

あかるいひるま、みんなが山へはたらきに出て、こどもがふたり、庭であそんで居りました。大きな家にたれも居ませんでしたから、そこらはしんとしています。ところが家の、どこかのざしきで、ざわっざわっと箒の音がしたのです。

ふたりのこどもは、おたがい肩にしっかりと手を組みあって、こっそり行ってみましたが、どのざしきにもたれも居ず、刀の箱もひっそりとして、かきねの檜が、いよいよ青く見えるきり、たれもどこにも居ませんでした。

ざわっざわっと箒の音がきこえます。

とおくの百舌の声なのか、
北上川の瀬の音か、
どこかで豆を箕にかけるのか、
ふたりでいろいろ考えながら、
だまって聴いてみましたが、
やっぱりどれでもないようでした。
たしかにどこかで、
ざわっざわっと箒の音がきこえたのです。

も一どこっそり、ざしきをのぞいてみましたが、
どのざしきにもたれも居ず、
ただお日さまの光ばかり、
そこらいちめん、あかるく降って居りました。

こんなのがざしき童子です。

「大道めぐり、大道めぐり」
一生けん命、こう叫びながら、
ちょうど十人の子供らが、両手をつないで円くなり、
ぐるぐるぐるぐる、座敷のなかをまわっていました。
どの子もみんな、そのうちのお振舞によばれて来たのです。
ぐるぐるぐるぐる、まわってあそんで居りました。

そしたらいつか、十一人になりました。
ひとりも知らない顔がなく、
ひとりもおんなじ顔がなく、
それでもやっぱり、
どう数えても十一人だけ居りました。
その増えた一人がざしきぼっこなのだぞと、
大人が出てきて云いました。

けれどもたれが増えたのか、
とにかくみんな、
自分だけは、何だってざしきぼっこだないと、
一生けん命眼を張って、きちんと座って居りました。

こんなのがざしきぼっこです。

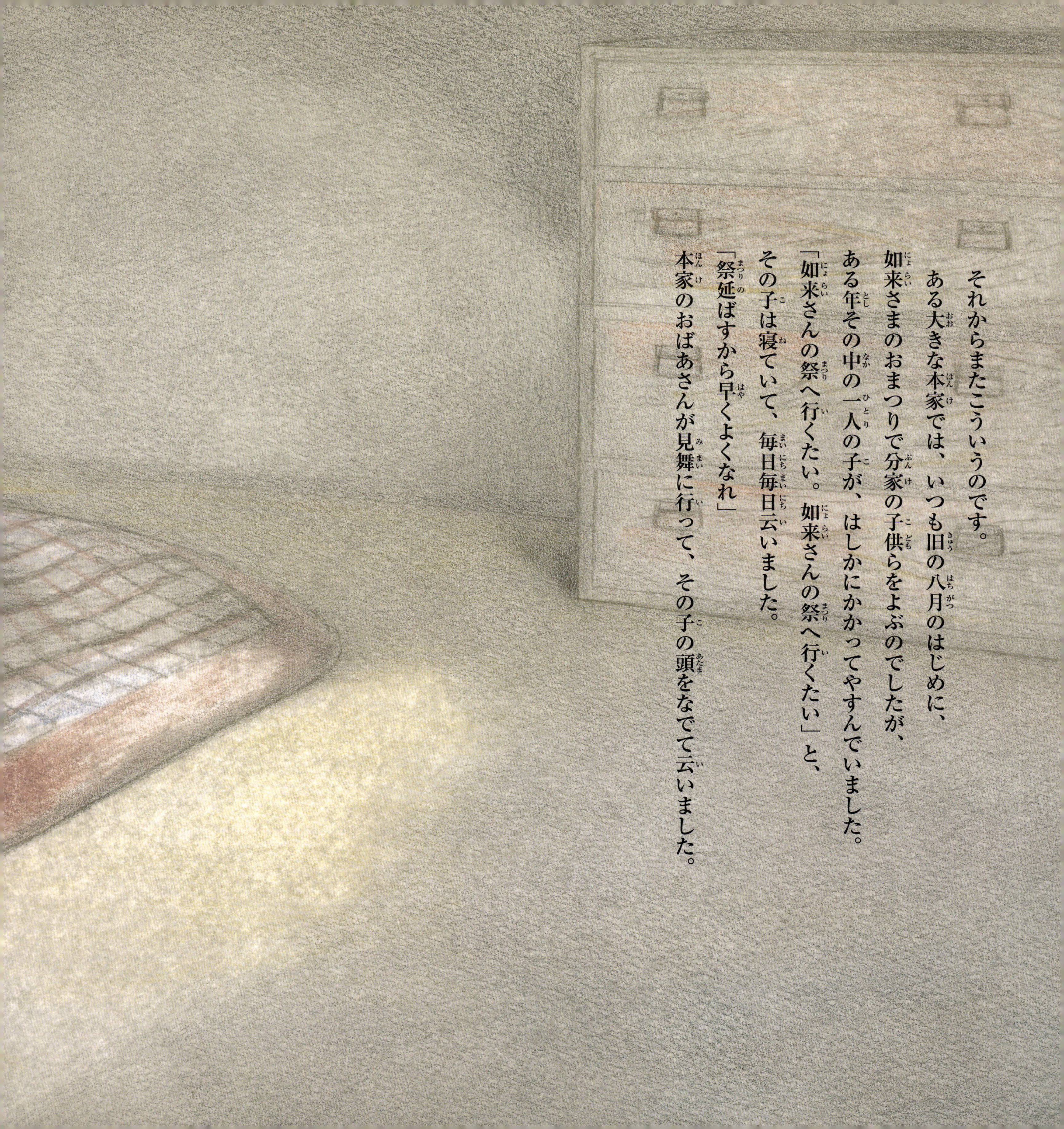

それからまたこういうのです。
ある大きな本家では、いつも旧の八月のはじめに、
如来さまのおまつりで分家の子供らをよぶのでしたが、
ある年その中の一人の子が、はしかにかかってやすんでいました。
「如来さんの祭へ行くたい。如来さんの祭へ行くたい」と、
その子は寝ていて、毎日毎日云いました。
「祭延ばすから早くよくなれ」
本家のおばあさんが見舞に行って、その子の頭をなでて云いました。

その子は九月によくなりました。

そこでみんなはよばれました。

ところがほかの子供らは、いままで祭を延ばされたり、鉛の兎を見舞にとられたりしたので、

何ともおもしろくなくてたまりませんでした。

あいつのためにめにあった。

もう今日は来ても、何たってあそばないて、と約束しました。

「おお、来たぞ、来たぞ」
みんながざしきであそんでいたとき、
にわかに一人が叫びました。
「ようし、かくれろ」
みんなは次の、小さなざしきへかけ込みました。

そしたらどうです、
そのざしきのまん中に、
今やっと来たばかりの筈の、あのはしかをやんだ子が、
まるっきり瘠せて青ざめて、泣き出しそうな顔をして、
新しい熊のおもちゃを持って、きちんと座っていたのです。

「ざしきぼっこだ」
一人が叫んで逃げだしました。
みんなもわあっと逃げました。
ざしきぼっこは泣きました。
こんなのがざしきぼっこです。

また、北上川の朗明寺の淵の渡し守が、
ある日わたしに云いました。

「旧暦八月十七日の晩に、おらは酒のんで早く寝た。
おおい、おおいと向こうで呼んだ。
起きて小屋から出てみたら、
お月さまはちょうどおそらのてっぺんだ。

おらは急いで舟だして、向こうの岸に行ってみたらば、
紋付を着て刀をさし、袴をはいたきれいな子供だ。
たった一人で、白緒のぞうりもはいていた。
渡るかと云ったら、たのむと云った。
子どもは乗った。

舟がまん中ごろに来たとき、
おらは見ないふりしてよく子供を見た。
きちんと膝に手を置いて、
そらを見ながら座っていた。

お前さん今からどこへ行く、
どこから来たってきいたらば、
子供はかあいい声で答えた。
そこの笹田のうちに、ずいぶんながく居たけれど、
もうあきたから外へ行くよ。
なぜあきたねってきいたらば、
子供はだまってわらっていた。
どこへ行くねってまたきいたらば
更木の斎藤へ行くよと云った。

岸に着いたら子供はもう居ず、
おらは小屋の入口にこしかけていた。

夢だかなんだかわからない。
けれどもきっと本当だ。
それから笹田がおちぶれて、更木の斎藤では病気もすっかり直ったし、
むすこも大学を終ったし、めきめき立派になったから」
こんなのがざしき童子です。

●本文について

本書は『新修　宮沢賢治全集』（筑摩書房）を底本としました。

なお原文の旧字・旧仮名、および送り仮名に関しては、原則として現代の表記を使用しています。

文中の句読点、漢字・仮名の統一および不統一は、原文に従いました。

※「誰」のルビを「たれ」としたのは、宮沢賢治の直筆原稿が一貫して「たれ」なので、賢治語法の特徴的なものとして生かしました。

言葉の説明

［豆を箕にかける］……「箕（み）」というのは、殻やごみをふるって取りのぞくための農具。竹などで作られたバスケット状のもので、ここでは、「ざわっざわっ」と聞こえる音は、豆をそこに入れてふるっている音だろうか？　と言っている。

［大道めぐり］……子どもの遊び。くわしい遊び方はわからないが、手をつないでぐるぐる回りながら遊ぶ。

［お振舞］……もてなし。ごちそうが出る招待。

［本家］……一族の血筋において最も中心になる家のこと。

［分家］……本家に対して、そこから枝分かれしていった親戚筋の家のこと。

［旧の八月］［旧暦八月十七日］……月の満ち欠けを基準とした「太陰暦」をベースにして、太陽暦の要素も取り入れて現実の季節とのずれを少なくするようにした「太陽太陰暦」を「旧暦」と呼ぶ。旧暦八月は秋分を含む月。秋分の日は、現在の暦（新暦）では九月二十三日頃。つまり旧暦八月は、あの「中秋の名月」が出る月にあたる。日本では明治五年十二月二日まで旧暦が使われていた。

［如来］……仏をたたえて呼ぶときの呼び名。

［熊のおもちゃ］……どんな形のものかは文章だけではわからないが、ちなみに賢治が6歳の頃に、アメリカでテディ・ベアが大人気となっている。

［渡し守］……橋のない川で人を渡すために、船を出す仕事をしている人のこと。

絵・岡田千晶（おかだ・ちあき）

大阪府生まれ。セツ・モードセミナー卒業。
ボローニャ国際絵本原画展入選。
『うさぎくんとはるちゃん』（岩崎書店）で二〇一〇年に絵本作家としてデビュー。
主な作品に、『ボタンちゃん』（小川洋子／作　ＰＨＰ研究所）
『あかり』（林 木林／文　光村教育図書）
『おかあしゃん。はぁい。』（くすのきしげのり／作　佼成出版社）
『おむかえ まだかな』（もとしたいづみ／作　学研プラス）
『ぬいぐるみおとまりかい』（風木一人／作　岩崎書店）
『きみはぼくだね』（かさいまり／作　ひさかたチャイルド）
『もうすぐ もうすぐ』（教育画劇）
『ぽっつん とととは あめの おと』（戸田和代／作　ＰＨＰ研究所）
『だいすきのしるし』（あらいえつこ／作　岩崎書店）などがある。

ざしき童子のはなし

作／宮沢賢治
絵／岡田千晶
発行者／木村皓一　発行所／三起商行株式会社
〒５８１-８５０５ 大阪府八尾市若林町１-76-２
電話 ０１２０-６４５-６０５
ルビ監修／天沢退二郎
編集／松田素子（編集協力／橘川なおこ）
デザイン／タカハシデザイン室
印刷・製本／丸山印刷株式会社
発行日／初版第１刷 ２０１７年10月17日

40P. 26cm × 25cm ©2017 Chiaki OKADA
Printed in Japan. ISBN978-4-89588-138-8 C8793